兔子汤姆
成长的烦恼图画书
心理自助读物

汤姆上幼儿园

[法]玛丽-阿利娜·巴文/图　　[法]克斯多夫·勒·马斯尼/文　　梅　莉/译

海燕出版社　　MANGO JEUNESSE

爸爸妈妈告诉我，在幼儿园我会有一个很好的老师。可是，他们并不认识我的老师啊！

明天，是我上幼儿园的第一天。我想，我在幼儿园里能干些什么呢？我一点儿都不高兴。

妈妈给我买了一支铅笔、一块橡皮和一盒水彩笔。

　　还有一个漂亮的双肩书包。我特别喜欢用鼻子闻书包，新书包的味道真好闻！

晚上，我和妈妈一起准备好我上幼儿园的东西。"妈妈，我觉得我好像生病了，不能上幼儿园了。"

妈妈给我量了量体温，对我说，我根本没有生病。我越来越不想明天就上幼儿园了。

现在，我要和爸爸说晚安了。"上幼儿园，多好啊！"爸爸对我说，"你会学到很多又新奇又好玩的东西。"

　　躺在床上，我对妈妈说，能不能让幼儿园的老师带着所有的同学来我们家，到我的房间？……而妈妈只是微笑地看着我，什么也没说，还使劲地亲了我一下。

我睡不着，就坐在床上看月亮，我真害怕明天上幼儿园。

"起床，该起床了。"妈妈轻轻地对我说。啊，已经到早上了！
我好像刚刚睡着。

吃早饭的时候，我心里挺难受的。但是，我要勇敢，我不能哭。

大街上，有许多第一天上幼儿园的孩子，由父母陪着，他们都忍住不哭。

但是，在幼儿园门口，真是太难和妈妈分开了……

　　"拿着这个。"妈妈给我一块手绢，"在你伤心的时候，就看看手绢，想想妈妈。"

老师来接我们了，她看上去很和善。走进大楼里的时候，
我紧紧地抓着妈妈的手绢。

　　我们走进了一个干净整洁的房间。老师说，这是我们的教室。我看了看玩具和墙上的画，我真喜欢。

我的同桌叫路路。他好像不高兴待在这里，因为他不停地哭。

我想安慰他，就把妈妈的手绢给他，让他擦了擦眼泪。

上午，老师教我们画画和剪纸，还唱歌。

课间休息的时候，我同路路一起玩扔皮球，真开心啊！

午睡后，老师用手偶给我们讲故事。

铃声响了，幼儿园的一天结束了。这么快！我都没有感觉到。

　　放学了，妈妈在幼儿园门口等我。见到妈妈，我很高兴。我盼着明天快点儿到来，我要和路路一起玩，还要画完我的画。